JN127024

ブルブルくん
ストーリーズ 2

ブルブルくんが いつもそばにいるよ

わかさ生活

はじめに

ようこそ、ブルブルくんの世界へ。
ブルブルくんは、
ときにはフィンランドの湖のほとりに。
ときには日本のどこかに。
ときにはあなたの部屋の片(かた)すみに。ふと現れます。

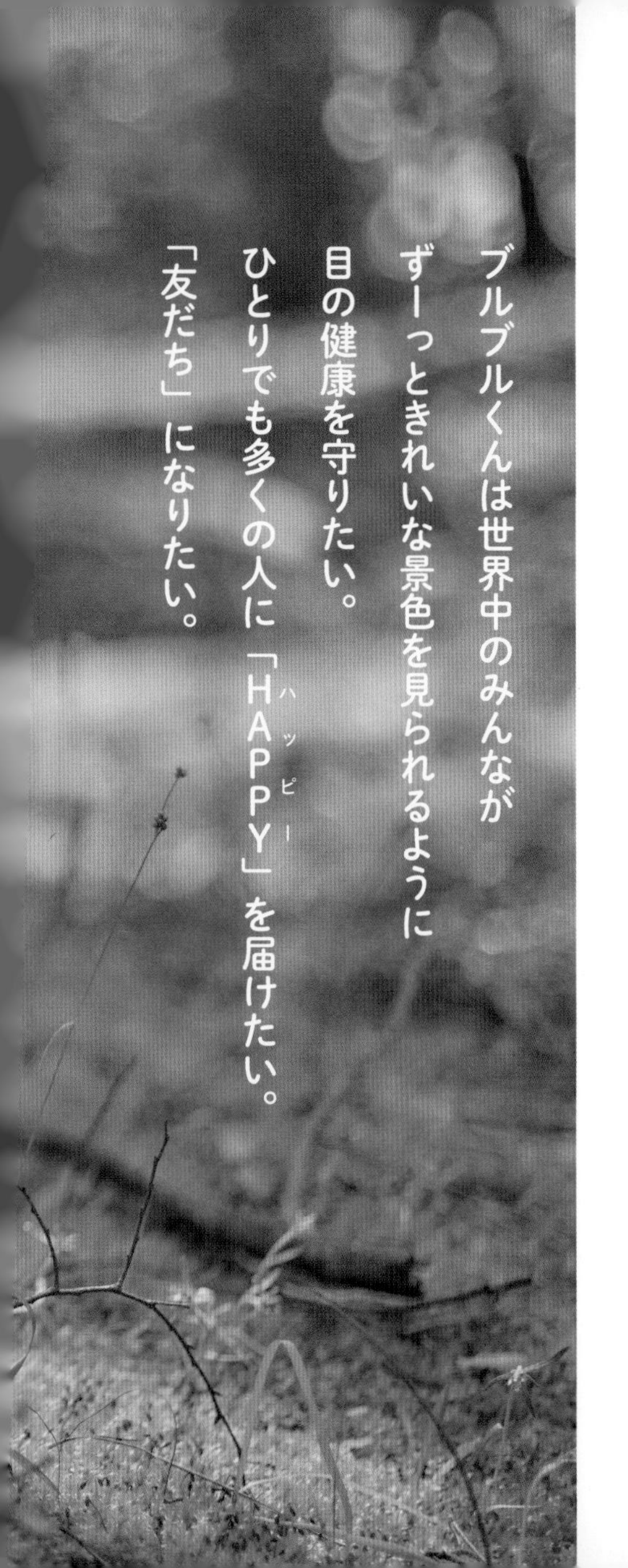

そんな夢を持って、毎日どこかで
仲間たちとゆかいに楽しく遊んでいます。

この本には、ブルブルくんのことが「大好き」な
いろんな人たちが考えた「ブルブルくんと仲間たち」
の物語がつまっています。

この本を読めば、あなたも
「あ、あそこで遊んでいるかも」と
ブルブルくんたちの姿が見えてくるかもしれません。
もし、あなたの中の「ブルブルくん」がなにか楽しそうな
ことをしていたら、私たちにこっそり教えてくださいね。

それでは、ブルブルくんたちがどんなことをして遊ん
でいるのか少しのぞいてみましょう。

もくじ

はじめに——2

●魔法(まほう)のノート——8

●とても不思議な魔法使い——12

●もぎたて！ 果汁(かじゅう)100%ブルーベリージュース——16

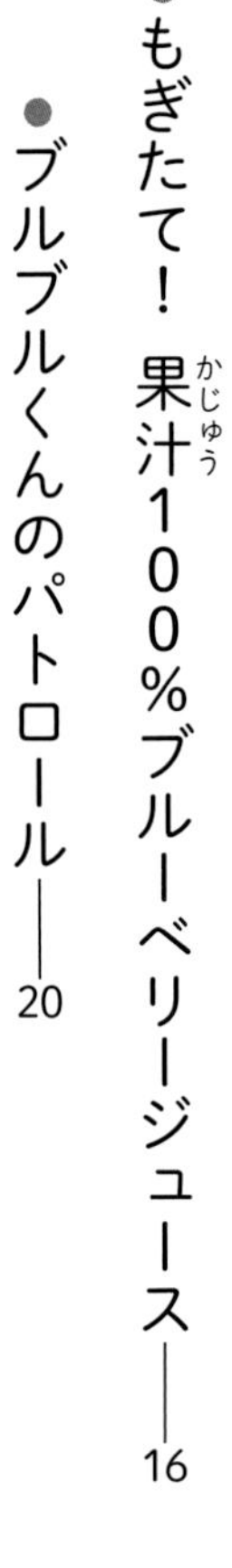

●ブルブルくんのパトロール——20

●愛ちゃんにしか見えないもの——24

●植物の気持ち——30

●ブルーベリー色の気球に乗って——34

●ついてこんといて！——39

●おふろ——43

●ブルブルくん危機(きき)いっぱつ――48
●大人の味――50
●ブルブル救助隊――54
●魔法のマスコット――57
●いつでもそばに――63
●初めてのピザ作り――68
●ブルブルくんの大そうじ――72
●ブルブルくんからのおくりもの――75
あとがき――80
おまけ――82

自分だけの
「ブルブルくんストーリー」を作ってみよう！

ブルブルくんが
いつもそばにいるよ

魔法（まほう）のノート

「アイアイちゃん、聞いてくれ！」

「どうしたの？　ブルブルくん」

こうふんした様子のブルブルくん。

「ボクの出番や！　これ見て！」

手に持っていたノートには文字がビッシリとならんでいます。

「ここ見て！　人間の世界で問題が起きて、ボクの友だちがなやんでいるみたいなんよ」

ブルブルくんがノートを指差します。

「もう、じれったくて見てられへん！　ちょっと行ってくるわ。ボクにかかれば、すぐに解決や！」

ブルブルくんは得意気に言いました。

「え、待って！　ブルブルくん！」

やる気まんまんのブルブルくんにアイアイちゃんが言いました。

「この魔法のノートを通して私たちが人間の様子を見ていることはひみつでしょう？」

「うん？　大丈夫や！　ボクはこっそり近くに行ってずっと見守っていたんやからな！」

ブルブルくんはあっけらかんと言います。

「いや、そうじゃなくて……。急にブルブルくんがあらわれたら、ビックリするんじゃないかしら？」

アイアイちゃんはやさしく説得します。

それでもブルブルくんは「大丈夫や！　アイアイちゃんは心配性やな〜」と気にしません。

「なんか起きたときはアントシアニンパワーで解決や！

じゃあ、行ってきま〜す！」

アイアイちゃんの言葉もむなしく、ブルブルくんは意気ようようと行ってしまいました。

とても不思議な魔法使い

「今日もダメだったな……」

美月はボソッとつぶやき、落ちこんだ様子で学校からの帰り道を歩いていました。

家に着き部屋に入ると、つくえの上に顔をふせてしまいました。

「どうしよう、このままひとりぼっちだったら。おとぎ話の中みたいに、私も魔法が使えたらいいのにな」

実現できそうにない望みを口に出すと、どこからか聞いたことのない声が聞こえてきました。

「こら！　そんなところでねたらかぜ引くで！」

「だれ!?」

目を開けると、丸い形をしたむらさき色のなにかが見えました。

「おっ！　起きたか？」

つくえの上を見ると、クリクリの目をした丸いむらさき色の生きものが美月に話しかけています。

「美月、おはようさん！　ボクはブルブルくんっていうねん。なにか、なやんでることがあるんちゃう？」

美月にはなにが起こったのかわかりません。

「これは夢？　それでもいい」

そして、心の中にたまったものをはきだすように、最近東京から京都に転校してきたこと、関西弁（かんさいべん）の話の輪に入れないこと、ダンスが苦手で授業中にみんなの足を引っぱってしまっていることなど、なやみを打ち明けました。

「なんや、そんなことかいな。ボクが来たから大丈夫やで！」
とブルブルくん。美月に得意の関西弁やダンスをみっちり
教えてくれることになりました。
「美月、ちゃうで！　もっと全身を大きく動かして元気いっ
ぱいにおどるんや！　キレも大事やで！」
ブルブルくんの熱の入った指導で美月は少しずつダンスが
上達していきました。
「ブルブルくんすごいね。魔法使いみたい！」
「せや！　ボクはいつまでも美月の味方やで」
その後、クラスのみんなと仲良くなった美月は、楽しく学
校生活を送れるようになりました。

もぎたて！
果汁100％ブルーベリージュース

健太と果林は、とっても仲良しの兄妹。

今日はふたりでおばあちゃんの家までママが作ったブルーベリーパイをとどけに行きます。

「ようやく神社が見えてきた」と健太。この神社の森を通りぬければ近道です。

「お兄ちゃん、私つかれた。もう歩けないよぉ」

「じゃあ、少し休もうか。ボク、ブルーベリージュースを持ってきたんだ」

「やったー！」

ふたりですわってジュースを飲もうとしたそのとき、健太の手がすべってジュースが全部こぼれてしまいました。

泣きだす果林におろおろするしかない健太。

「きみたち、大丈夫か？」

「えっ、だれ？」

あたりを見回す健太。果林も思わず泣き止んで、目をキョロキョロさせています。

「ここや！　ここや！」

ブルブルくんが大きな木の枝から飛びおりてきました。

「ボクはブルブルくん。ふたりの様子はずっと見せてもろたで。ジュース、残念やったな」

健太も果林もびっくりしてかたまっています。

「ほら、ボクのほっぺにこれさして！」

ブルブルくんはどこからかストローを取り出し、ふたりにわたしました。

のどがかわいていたふたりは、ストローをおそるおそるブルブルくんのほっぺにさすと、そっとすってみました。

「おいしい！」

「果汁１００％やからな！　健康にいいアントシアニンもたっぷりや！」

健太と果林は果汁で青むらさき色になった舌を見せ合って大笑い。ふとブルブルくんの方を見ると、さっきまで丸かった顔がちょっとだけ細長くなっていました。

「大丈夫？　なんだかやせたみたい……」

果林は心配そうに見つめます。

「大丈夫や！　お日様に当たったらまた復活！　それより、ふたりともそろそろ行かな。おばあちゃんが待ってるで！」

そう言うと、ブルブルくんはちょっとふらつきながら森の中に消えていきました。

ブルブルくんのパトロール

「あ〜あ、今日も雨か……。練習できへんやん」

颯太は窓の外を見て、大好きな野球ができないことにがっかりしていました。

今日は日曜。時間はまだまだたっぷりあります。そこで颯太はスマートフォンで野球ゲームを始めました。

「ゲームは30分だけ」というお母さんとの約束をわすれて、あっという間に1時間がすぎようとしています。

「コラ、颯太！　ゲームしすぎ！」

とつぜん、スマートフォンの画面にブルブルくんがあらわれました。

「えっ、なに？」

おどろく颯太。それを見たブルブルくんが自己しょうかいをします。

「あっ、ボク？　ボクはブルブルくん。ブルーベリーのようせい。みんなの目を守るパトロール中なんや」

「パトロール？」

「そう。颯太、ゲームやりすぎやで」

「だって雨ばっかりで練習ができないんやもん……」

「だからって小さな画面ばかり見ていたら、目がつかれてしもて、次に野球をやるときにうまいこと目が使えへんかもよ」

そう言われて、考える颯太。

「ゲームはほどほどにして、目のトレーニングしよか」

「目のトレーニング？」

「そうや。トレーニングを続けたら速いボールも止まって

見えるようになるかもしれへんで」

「またまた～」

「あっ、うそちゃうよ。まぁ、ボールが止まって……は大げさかもしれんけど、プロ野球選手も目のトレーニングはやってるんやで」

「本当？　じゃあ、ボクもやってみる！」

「よっしゃ、まずは親指を立てて……」

颯太はブルブルくんから目のトレーニングを教えてもらい、やってみました。だんだん目がスッキリしてきて、ボールがよく見えそうな気がしてきます。

「ありがとう。ブルブルくん！」

そのしゅんかん、颯太は目をさましました。どうやらゲームをしながら寝てしまっていたようです。

「なんだ夢か……」

それからも颯太はブルブルくんに教えてもらった目のトレーニングを続けました。

ゲームをしていたスマートフォンの画面には、プロ野球選手が目のトレーニングをしている様子がうつっていました。

愛ちゃんにしか見えないもの

愛ちゃんはカフェの店長をしているパパとマンガ家のママの愛情を一身に受け、すくすくと育っています。

1歳の誕生日を迎えたころからは自分の気持ちを表現（ひょうげん）することも増え、パパ、ママに気持ちが伝わらないと大泣きが止まりません。

でもどんなに大泣きしているときでも、ママの作業部屋に行くと決まってピタッと泣き止むのです。

「パパ、愛ちゃん泣きだした。おなか空いてるのかも？」

「オッケー。わかった」

パパが1階のカフェで愛ちゃんの食事を用意します。

「愛ちゃん、お待たせ。はい、どうぞ」

ところが食事を前にしても泣きやみません。

「オムツかな？　あれ、そうでもなさそうだなぁ」

こまったパパはママのいる作業場へ。すると愛ちゃんはすぐに泣き止みました。

「おいおい、愛ちゃんパパのことがきらいかい？」と悲しそうなパパ。

じつは、愛ちゃんが泣き止んだのには理由がありました。

ママの作業場には、愛ちゃんにしか見えないものがたくさんあったのです。

そのひとつが作業場のかべにかざってある、北欧(ほくおう)の森のようせいブルブルくんの絵でした。

このときも、ブルブルくんは待っていましたとばかりに愛ちゃんに話しかけたのです。

「愛ちゃん久しぶりやな? いないいない、ばあっ!」

すると愛ちゃんは手足をバタつかせキャッキャッと笑いだしました。

「ブルブルくん、会いたかったよ。私が大泣きしないとパパとママはこの部屋に連れてきてくれないの」

と愛ちゃん。パパとママには分からないひみつの会話です。

「はよ、自分で歩いて来られるようになったらええな」

ママとパパはとつぜんはしゃぎだした愛ちゃんを見て、顔を見合わせました。

「ブルブルくんの絵を見るといつもごきげんになるわ。ふたりで話でもしているのかしら」

植物の気持ち

雨上がりの晴れた朝。ランドセルを背負って小学校へ向かう優太のとなりを、ブルブルくんがフワフワとうかびながらついていきます。

通りの木々や、道路沿いに植えられた花々が雨つゆでキラキラとかがやいて見えます。

「雨が上がって良かったね、ブルブルくん。今日の体育は野球だから、ボク、すごく楽しみなんだよ」

「そうやな。優太はしっかり外で体を動かして、もっともっと大きくならなあかんしな」

そう言ってブルブルくんはヒューンと高く飛んでいき、並木の葉っぱに目をやりながら言葉を続けます。

「この並木さんたちも喜んではるわ。葉っぱについたよごれも雨できれいになったし、朝日が一番のごちそうや〜ってな」

「えっ⁉　ブルブルくん、植物の気持ちが分かるの！」

「当ったり前や！」

ヒューンと優太の顔の前まで飛んできてアピールするブルブルくん。

「ボクはブルーベリーのようせいやで。優太たち人間は知らんと思うけどな、植物は雨がふった喜び、虫に食べられる危険なんかをテレパシーでお互いに伝え合って生きているんやで。だから優太も毎日やさしい言葉をかけてあげてな。そしたらみんな元気になって、ハッピーや」

「へえ、木や花も会話をしているんだね。さすがブルブルくん！　ボク、がんばってみるよ」

そうして通学路で目にした植物には、手当たり次第、元気にあいさつをしていく優太でした。

「いや、優太。さすがにそこまでせんでもええんやで……」

ブルーベリー色の気球に乗って

秋風が心地良い昼下がり。京都にある鴨川（かもがわ）の木かげでブルブルくんは空を見上げていました。秋晴れの空は高く、すみわたるような青色をしています。

「まるでフィンランドの夏の空のようやな」

そこに、まるでブルーベリーの実のような青むらさき色の気球が風に乗って流れてきました。

「あの気球からなら、いろんな景色が見えるんかな？　もしかしたらフィンランドが見えたりして」

そんなことを言いながら、ブルブルくんは川で水浴びをしていたサギに声をかけました。

「なぁ、あの気球まで一緒に行かへん？」

「行ってもいいけど、ブルブルくんは高いところ大丈夫？」

「大丈夫！」

「じゃあ、ボクに乗って。ひとっ飛びで連れていってあげるよ」

「うわぁ、すごいなぁ！　どんどん上がっていく！」

ブルブルくんはサギの背中(せなか)に乗って急上昇。

「さぁ、もうすぐ気球だよ」

ブルーベリー色の気球に近付きバスケット中をのぞきこみましたが、そこにはだれもいませんでした。

「だれも乗っていないね」

「ほんまや！　ボクらの貸し切りや！」

ブルブルくんは大きな気球に大はしゃぎ。

「あれは平安神宮や！　東寺の五重の塔(とう)も見えるで」

下に見える京都の名所にこうふんしています。

「まだまだ上がっていくよ。どこまでいくのかな？」

気球はさらに空高く上がっていきました。

「ブルブルくん、海が見えてきたよ！」

「フィンランドは……、こっちかな？　よくわからへんけど、きっとあのたくさんの木がある森の方やな」

視力が10・0のブルブルくんはおどろくほど遠くまで見えるようです。

ブルブルくんがもっと遠くを見ようと身を乗り出したそのとき……。

「ブルブルくん、気をつけて！」

強い風がふき、ブルブルくんの体がふわっとういたかと思うと、すごいいきおいで落ちていきました。

「うわぁー!!　どうしよー！」

次のしゅんかん、足がガクンとなり目を覚ましたブルブルくん。

「あぁ、ボクすっかり寝てしもたんや。それにしても、楽しい夢(ゆめ)やったなぁ」

川辺でつぶやくブルブルくんの前を、1羽のサギがゆうがに飛び立っていきました。

ついてこんといて！

「みつこおばさん、こんにちは」

「あらっ、ブルブルくん、こんにちは。お散歩？」

「うん」

ブルブルくんの持っていたブルーベリー色の扇子に、みつこおばさんが気付きました。

「へぇ。ブルブルくん、扇子使うんやね」

「歩くと体が熱くなるからね」

みつこおばさんは京都生まれの京都育ち。ブルブルくんに京都のいろいろなことを教えてくれる先生です。

「ブルブルくん、知ってる？　昔からこの一条通はあの世とこの世の境目って言われてるんよ」

「へぇ、そうなんや。なんだかこわいね」

「そうそう、ようかいも出るらしいで。ぞうりとか、びわごととか。たしか、扇子のようかいもいたんちゃうかな。夜になると一条通を練り歩いて出合った人に悪さするんやて。ブルブルくんも気い付けや」

ブルブルくんがこわがるのを楽しむかのように、みつこおばさんは笑っています。

そうこうしているうちに、辺りは夕日で真っ赤にそまってきました。

「そろそろ帰ろうかな」

ブルブルくんはこわくなって足早に森へ帰ります。

(日がくれる前に森にもどらな)

あせるブルブルくん。気持ちばかりが急いで思うように進みません。なにかが後ろから付いてくる気配もします。

（ボクが止まれば止まる。もしかして……）

泣きそうになりながらも、勇気をふりしぼってふり返りました。

「もう！　ついてんといて！」

そこにあったのは、しずむ夕日に照らされたブルブルくんの長いかげでした。

おふろ

「優太～。ごはんの前におふろに入ってきなさい～」

「はぁい」

空返事でテレビゲームに夢中の優太。画面の中では、たくさんのキャラクターがカラフルなペンキをまき散らしています。

「あれ？　どうしたんだろう？　色が出ないぞ」

すると優太の操作するキャラクターから、ペンキの代わりにブルブルくんがいきおいよく飛び出してきました。

「うわぁ、ブルブルくんだ！」

「呼んだかぁ？」

画面からポンッと飛び出して優太へ話しかけるブルブルくん。

「びっくりさせないでよ！」

「そんなことより、ママの言うことを聞いて、ちゃんとおふろには入らなあかんで！」

ブルブルくんがフワフワうかびながら、優太の顔を指差しました。

「だってめんどくさいんだもん。今日は一日中家にいたし、よごれてないよ」

「おふろはよごれを落とすだけじゃないんやで。しっかりとお湯につかることで、体中に血がめぐってリラックスできるんや！　そうすると集中力や記憶力も良くなるんやで」

優太の背中をポンポンと押して、おふろへ連れていくブルブルくん。とうとう優太はお湯につかることになったのでした。

ザブーン！

「あ〜気持ちいい。おふろって入る前はめんどうだけど、やっぱり気持ちいいね、ブルブルくんも入りなよ！」

と優太。ブルブルくんの手を引っ張ってお湯につからせようとします。

「ボ、ボクはいいんや！　や、やめ……」

ザブーンとブルブルくんがおふろにしずむと、お湯の色がまるでゲームのペンキのようなむらさき色に変わっていきました。

「うわぁ！」

体がむらさき色に染まり半べその優太を見ながら、ブルブルくんは「だから言わんこっちゃない」という表情でリラックスしながらお湯につかっていました。

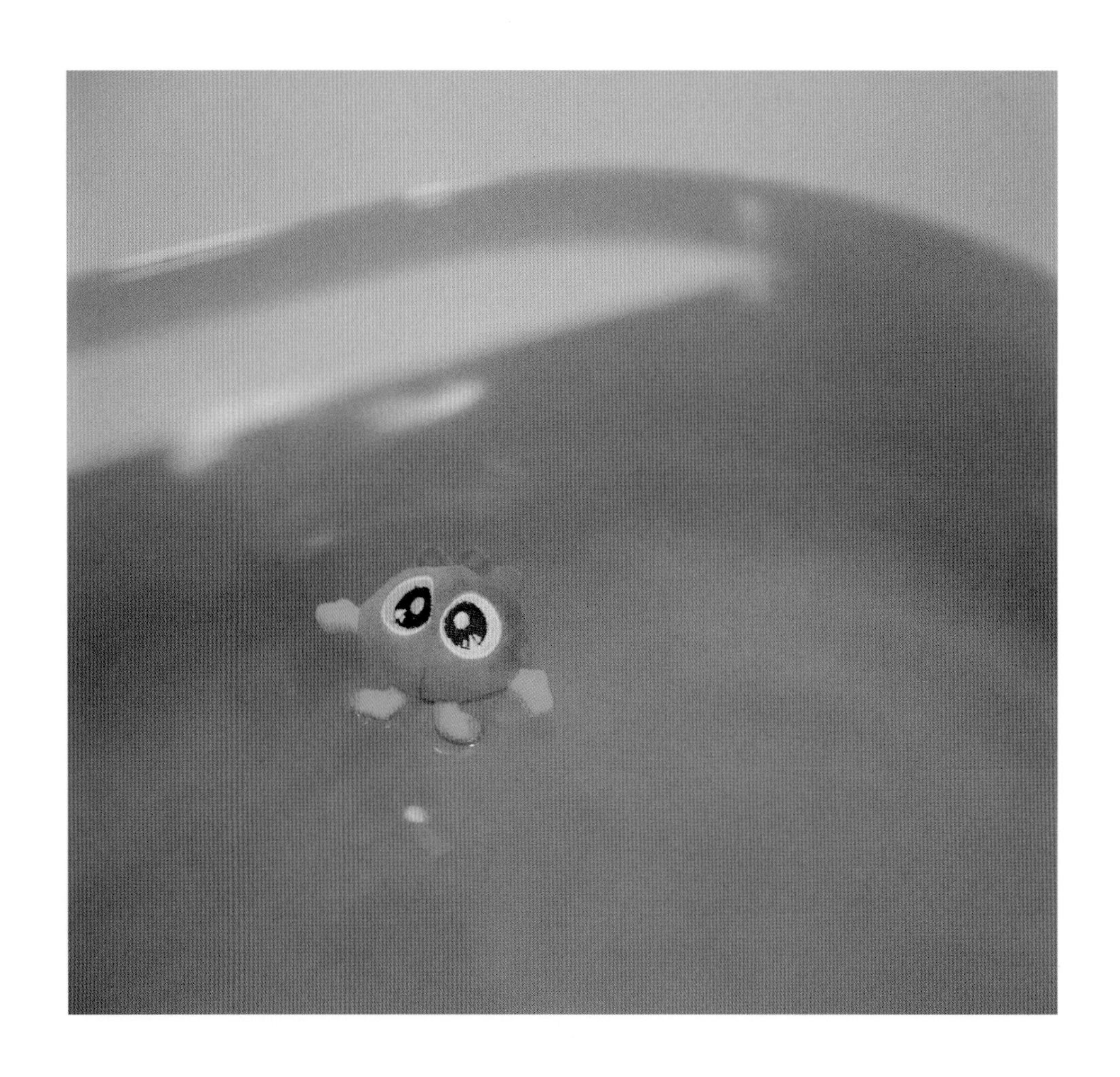

ブルブルくん危機いっぱつ

ほほをくすぐるそよ風が心地良い昼下がり。

ブルブルくんは葉っぱの上でなにやら楽しそうな夢を見ているようです。

「アイアイちゃん、ボクもうおどられへんって！　無理、無理……むにゃむにゃ」

そのとき、北風がビューッとふいて、ブルブルくんはあっという間に飛ばされて、近くにあった川に落ちてしまいました。

「えっ！　なに？　ボク泳がれへんのにー」

必死に近くにあった葉っぱをつかみますが、流れが速くて飲みこまれてしまいます。

水中でグルグルと、まるで洗濯機に回されているかのようなブルブルくん。今度は大きな魚が口を開けて向かってきました。

「あぁ、もうダメや！　最後にアイアイちゃんに会いたかったなぁ……」

と思ったそのとき、ブルブルくんの体は急にうき上がり、目の前に青空が広がりました。

「ママ！　魚と一緒になにかつかまえた！」

男の子がブルブルくんを手に取り見つめています。

「ボクはブルブルくん。きみは運がええなぁ。命を助けてくれたお礼になやみごとをひとつ解決したるで。こまってることがあったら、なんでも相談してや！」

助けてもらったのに、上から目線のブルブルくんなのでした。

大人の味

ある日、ブルブルくんはアイアイちゃんと町へとやってきました。

「久しぶりに来たけど、えらいおしゃれになったな」

見わたすと、あちらこちらにおしゃれなカフェがならんでいます。

「みんな、おいしそうになにを飲んでるんやろ？」

たくさんの人がテラス席でなにかを飲んでいます。

「ブルブルくん、あれはコーヒーという飲みものよ。物知りなハトさんに聞いたのだけど、あれは大人しか飲めないらしいわよ」

「大人しか飲めない？　なんで!?」

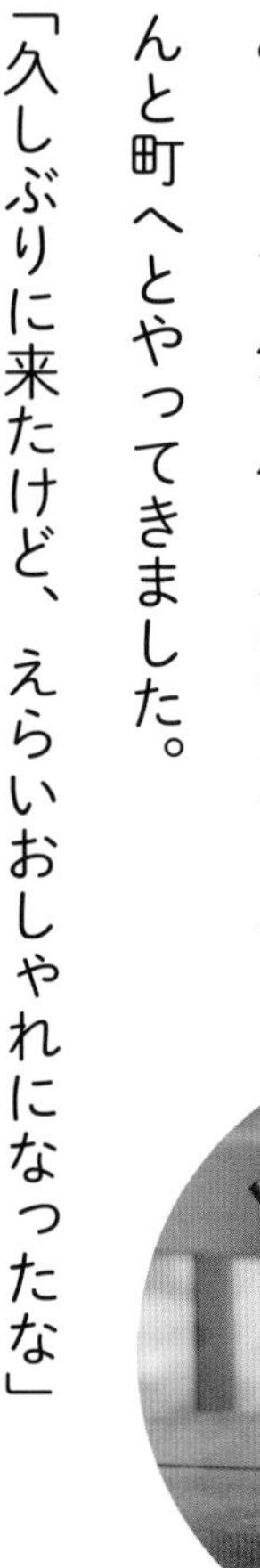

「とっても苦いんですって」

「でも、ボクもコーヒー飲んでみたいなぁ」

「えぇ？　そんなの無理よ……」

「そんなことない！　簡単に無理って決めつけたらあかんで」

強気なブルブルくんはテラス席へ向かっていきました。

不安そうに見つめるアイアイちゃんに、ブルブルくんは得意気な顔で言います。

「大丈夫やから。まぁ、見てて！」

テーブルによじ登ると、アイスコーヒーが入っているグラスが見えました。男の人が新聞を読んでいるすきに、ブルブルくんはグラスに顔を近付けます。

（ええ、香りや～）

グラスのふちにつかまりひと口味見をするブルブルくん。

「うわっ、なんやこの味！　苦すぎるわ!!」

けわしい顔になったかと思うと、ポチャンとコーヒーの中へ落ちてしまいました。

「大変！」

様子を見ていたアイアイちゃんはびっくり。

ところが、男の人はブルブルくんがグラスに入っていることに気付かずコーヒーを飲もうとしています。

「もうだめ……」

アイアイちゃんは思わず目をつぶりましたが、ブルブルくんはなんとかグラスからだっしゅつしていました。コーヒーでぬれた足あとを残して。

「ん？　なんだかこのコーヒー、さっきよりフルーティになった気がする。おいしいな」

男の人はそう言って、

ふたたび新聞を読み始めました。

その後、カフェでは
ブルーベリーコーヒーが
人気メニューになりました。

ブルブル救助隊

とある日曜日の昼下がり。

「今日もええ天気やなぁ」

ブルブルくんが川辺で太陽の光を浴びながら、のんびりくつろいでいます。

(毎日こんなおだやかな日が送れたら幸せやなぁ)

と幸せをかみしめていると、川上から「助けて〜!」と悲鳴が聞こえてきました。

「ん？　なんや!?」

すぐに声の方へ行って確認すると、麦わらぼうしが流れてきました。

「まさか、ぼうしがしゃべるわけないし……」

と思っていると、今度はおぼれている女の子が流れてきました。

「うわぁ！　助けたらな！　どうしたらいいんや？」

あたふたするブルブルくん。すぐに良い方法をひらめきました。

「あの方法しかないな。みんな集まって来ーい！」

ブルブルくんは仲間を集めると、「あの女の子を助けるんや！」と助ける方法を説明しました。みんないっせいに手足をつなぎ「ブルブルあみ」の完成です。

「ほな、みんな行くで！」

女の子が流れる先を予測して、向こう岸とこちら側でブルブルあみをはって待機します。

そして見事女の子をキャッチ。

「みんな、力を出してこの子を岸に上げるで！」

『ブルブル、ブルブル——！』

川の流れにさからうにはものすごい力が必要でしたが、みんなで目いっぱい力をこめて、女の子をすくい上げました。

「よっしゃあ！」

ところがいきおいが強すぎてブルブルあみはバラバラに。

仲間たちも四方八方に飛び散ってしまいました。

ヒューン、ドスン！

ブルブルくんは木の上にある鳥の巣の中へ。びっくりした親鳥がくちばしを大きく開けてギャーギャーと鳴いています。

「ボ、ボクはブルーベリーのようせいや。エサとちゃうで。たのむから助けて！　だれか～！」

魔法(まほう)のマスコット

「どこだ。どこにあるんだ」

本当においしいブルーベリージュースを作るため、はるばる日本からやってきたマコトは、原料のビルベリーを求めて北欧(ほくおう)の森の中をさがし回っていました。

「なにかさがしてるん？」

「うわぁ！」

とつぜんブルブルくんに声をかけられたマコトはびっくり。

「だ、だれだ！」

「ボクはブルブルくん。ブルーベリーのようせいや」

目の前でフワフワとうかんでいるむらさき色の丸い生きものに、夢(ゆめ)でも見ているのだろうかと思いつつ話しかけます。

「ボ、ボクはマコト。きみ、この辺りでビルベリーのあるところを知らないかい？」

「ああ、ビルベリーか。ビルベリーってのはな、めっちゃ下のほうに生えてんねん。ほら、しゃがんでよう見てみ」

言われたマコトが目をこらして見てみると……、

「あった！」

マコトはたくさんのビルベリーを夢中(むちゅう)でつみ取り、口いっぱいにほおばりました。

「あまずっぱくて味がこい。日本のものと全然ちがう。これなら究極のブルーベリージュースができるよ」

「なんや、そんなにジュースが作りたかったんか？」

「うん、おいしいジュースとカレーのお店を開くのがボクの夢なんだ。カレーはボクが作るんじゃないんだけど。ブルーベリージュースが完成したら、きっと自信を持ってプロポーズができると思って」

「そうかぁ。ほんなら、ええもんあげるわ」

ブルブルくんがマコトにわたしたのは、小さなブルブルくんのマスコットでした。

「夢がかなうお守りや。がんばり」

「ありがとう。ブルブルくん」

このずーっと先、ブルブルくんがマコトのお店にひょっこりやって来ることを、マコトは知らないのでした。

いつでもそばに

「うわぁ、おいしそうなケーキ！」

「でしょう？　近所のケーキ屋さんで見つけたの。手を洗ったらいっしょに食べましょう」

優太（ゆうた）が家に帰ると、テーブルに置かれたあざやかなむらさき色のロールケーキを、お母さんが手ぎわ良くカットしていました。

「ボク、２こ食べたい！」

「だめ。ごはんが入らなくなるでしょう。今は１こだけにして、夜にまたお父さんと一緒に食べましょう？」

「はぁい。いただきま～す」

ヨーグルトクリームとブルーベリーのあまずっぱさがマッ

チしていて、ほおばると思わず笑みがこぼれます。

ケーキをパクパク食べていると、お母さんの後ろに置いてあったブルブルくんのぬいぐるみが、ひょいと立ち上がりおどり出しました。

「ブルブルくん！」

「え？　なに⁉」

声をあげて振り返っても、お母さんは気付きません。どうやらおどっているブルブルくんのすがたは優太にしか見えていないようです。

「……また会えたね。どこに行っていたの？」

優太はこっそりブルブルくんに話かけました。

「どこにも行ってへんよ。ボクは、ずっと優太の近くにいるんやで」

「そうだったの？　また遊んだりお話ししたりしようよ」

「もちろん、そのつもりや。でもその前に、ボクは今から仕事をせなあかんねん」

「仕事？」

夢中(むちゅう)でブルブルくんと話をしている優太を、お母さんが心配そうに見ています。

「ちょっと優太、さっきからなに？　ひとり言を言っているの？」

すると、ブルブルくんはふわっとうき上がり、大きく息をすいこむとお母さんへ向かってこうさけびました。

「アントシアニンパワー!!」

「出たー！　アントシアニンパワー！」

優太は手をたたいて喜びます。

次のしゅんかん、お母さんは体がピカッと光ったかと思うと、なにごともなかったかのように、またケーキを食べ始めました。

「ほんとおいしいわ。このケーキ」

アントシアニンパワーを浴びたお母さんの目は、さっきより少しだけかがやきが増してきれいになっていました。

初めてのピザ作り

「大和(やまと)、おなかすかへんか？」

日曜日の15時、おやつの時間のことです。

ブルブルくんがベッドでゴロゴロしている大和に話しかけました。

「なにか食べるものがないか、さがしてみるよ」

立ち上がった大和を「ちょっと待った！」とブルブルくんが止めました。

「どうせなら、なんか作ってみいひんか？」

「ええ？　ボク、料理したことないよ」

「大丈夫や！　なにごともチャレンジしていかんと成長せえへんで」

「……じゃあ、なに作るの？」

「これなんてどうや！」

ブルブルくんは得意気にスマートフォンを取り出し、写真を見せました。

「ピザ⁉」

「そうや、材料はそろえといたで」

ブルブルくんに言われてキッチンに行くと、ピザを作るのに必要な材料や道具がならんでいました。

「いつの間に……」

「今日は、ブルーベリーのピザを作ってみいひんか？」

「そんなの見たことも食べたこともないよ」

「ボクはおいしいと確信してる。とりあえず作ってみようや。まずは生地作りからやで！」

大和は「合っているのかな？」と不安でしたが、ブルブ

ルくんは楽しそうに飛びはねながら生地をこねていきます。

「じゃあ、ピザ職人みたいに生地を大きく伸ばすで〜」

「え？　あのクルクル回すやつ？　絶対できないよ」

「ボクにまかせとき！　アントシアニンパワー！」

すると、そばにあったブルーベリーの実が小さいブルブルくんになっていきなり動きだしました。

そして、全員で生地を持ち上げると空中に放り投げ、クルクルと回し始めたのです。

「ほら、すごいやろ？　みんなで力を合わせたら、できへんと思うこともできるんやで！」

「うわ、すごいよブルブルくん！」

役目を終えた小さなブルブルくんたちはピザ生地の上に乗り、ブルーベリーのすがたにもどっていきました。

最後に大和がチーズをたくさんかけてオーブンへ。

良い色に焼き上がったところで取り出します。

「初めて作ったにしては上手にできたやん！」

ブルブルくんと一緒に初めて作ったピザは、とてもおいしく、心もおなかも満たしてくれました。

ブルブルくんの大そうじ

「ここなら大丈夫やろ」

ある日の午後、ブルブルくんは結月をおどろかそうとベッドの下にかくれていました。

「結月のやつ、いつもそうじは適当やし、ベッドの下なんてほとんど気にしたこともないからな」

ところが今日、結月は朝からはりきって部屋の大そうじをしていました。今もダンスの音楽を聞きながら、リズミカルにそうじ機をかけています。

ダンスとそうじがミックスされ、きちんとできているかはあやしいものですが、いつもは放ったらかしの部屋のすみやつくえの下にもそうじ機をかけています。

そんなこととはちっとも思っていないブルブルくん。
ベッドの下でそうじが終わるのを待っていると、いきなり
そうじ機の先が近付いてきました。
「えっ、まさか！
ちょ、ちょっと待って！」
イヤホンで
音楽を聞いている結月に、
ブルブルくんの声は
聞こえるはずもありません。
そうじ機の先はグングン迫ってきています。
「おい！　結月――!!」
ウィーーン。スポッ。
ブルブルくんはクルクル回りながらそうじ機にすいこまれ
てしまいました。

「えっ⁉　ブルブルくん？」

ようやく気付いた結月はそうじ機を止め、中からほこりまみれのブルブルくんを取り出しました。

「見ないと思ったら、ベッドの下に落ちてたの？」

「落ちるなんて、そんなどんくさいことせえへんわ！　結月をおどろかそうと思ってかくれてたんや」

「ごめん、ごめん。すぐきれいにしてあげるね」

それから結月は温かいお湯と森の香りのシャンプーで、ブルブルくんをすみからすみまできれいにしてあげました。

ブルブルくんも大そうじしてもらえて良かったね。

ブルブルくんからのおくりもの

クリスマスが近くなったころ、サンタクロースのお手伝いをしていたようせいのトントゥ※が言いました。

「森の向こうのしせつに住んでいる男の子、プレゼントになにがほしいかわからなくて困っているの」

子どもたちのところへこっそり様子を見にいき、良い子にしているか、サンタクロースになにをお願いしているかをさぐるのがトントゥの仕事です。

「ほかの子どもたちはもうとっくにお願いしているのに、どうしたらいいのかしら……」

※トントゥ
北欧(ほくおう)フィンランドに古くから伝わる
赤いトンガリぼうしをかぶったようせい

相談を持ちかけられたブルブルくん。

「よっしゃ。じゃあ、ボクが様子見てきたるわ」

と森の向こうまでピューンとひとっ飛び。青い屋根のしせつの窓からこっそり様子をうかがいました。

見ると小さな男の子がベッドでスヤスヤねむっています。

そっと部屋に入り辺りを見回すブルブルくん。

「ん？　クリスマスカード？」

つくえに置かれたクリスマスカードを読んだブルブルくんは、「なるほど」となにかに気付いたようです。


そしてクリスマスイブの夜。男の子は夢（ゆめ）を見ました。

北欧の森でパパとママと一緒にピクニックをしている夢です。そこには七面鳥やケーキ、お菓子やプレゼントがいっぱい。となりではブルブルくんがサンタのかっこうをして、楽しそうにおどっています。

男の子はブルブルくんと目が合うと、「君はサンタクロースなの？　ボクの願いをかなえてくれてありがとう」とうれしそうに言いました。

「ボクからのクリスマスプレゼントや」

次の日、ブルブルくんのパワーで男の子はずっと会いたかったパパとママに会うことができ、幸せなクリスマスをすごしました。

あとがき「フィンランドの森」

ブルブルくんのショートストーリーいかがでしたか。楽しんでいただけましたでしょうか。

すべての物語に登場するブルブルくんの故郷は「森と湖の国」フィンランド。幾度となく訪れましたが、その豊かで美しい自然には毎回、感動を覚えます。

ヨーロッパの北部にあるフィンランドは、隣接するスウェーデン・ノルウェーともに北欧と呼ばれ、この3カ国が森でつながる北極圏に位置するラップランド地方の冬はとても厳しく、街や山、湖までも雪でおおわれてしまいます。

気温はマイナス30度。まつ毛も髪も凍り、息をするたびに肺が凍るのではと心配になるほどの寒さです。澄み切った空気の中、夜空に広がる「オーロラ」の神秘的な美しさ。極寒の中、何時間も待ち続けてようやく見ることができたあの光景は今も忘れることができません。そして、フィンランドのラップランドには『サンタクロース』がたくさんのトナカイと暮らす村があり、クリスマスには世界中の子どもたちに夢を届けに行きます。

厳しい冬をこえ、おだやかな春のあと短い北欧の夏が訪れるのです。突き

抜けるような青い空、一晩中太陽が沈まない白夜。太陽の恵みを受けて、
広大な森にはブルーベリーやサンタベリーなど、たくさんの果実が実ります。

こんなファンタジーにあふれたフィンランドの森で誕生した、かわいい
妖精たち。青むらさき色の果実ブルーベリーの妖精『ブルブルくん』と赤
い果実サンタベリーの妖精『アイアイちゃん』。ふたりはダンスが大好きで
毎日毎日歌って踊って、森の仲間たちと楽しく暮らしています。
こんなブルブルくんやアイアイちゃんがみなさんの近くでがんばっている
様子を物語にしたのが『ブルブルくんストーリーズ』です。
【フィンランドの森】編、【いつもそばにいるよ】編、そしてふたりの仲間も
登場する【ゆかいな友だち】編の3部作。
わかさ生活スタッフがそれぞれの感性で書きためたオリジナルストーリー。
この本を読んで、少しほっこりしていただけたなら嬉しく思います。

さあ、みんなで一緒に歌って踊ってダンスを楽しもう♪
♬ブルブルアイアイ　ブルブルくん♪
ブルブルアイアイ　アイアイちゃん♪

わかさ生活 代表取締役社長　角谷建耀知

自分だけの「ブルブルくんストーリー」を作ってみよう！

物語を書くのは意外と簡単！
次のポイントを押さえて、
自由な発想で書いてみよう。

① 登場人物を考えよう

きみの考えるブルブルくんはどんな性格かな？　得意なことや苦手なことは？　今はどんな気分かな？　悪役だっていいかもね！

② ストーリーを考えよう

物語の場所はどこかな？　時間や季節は？　ブルブルくんはだれと一緒にいるかな？　例えば、きょうりゅうのいる時代だったらどうかな？

③ 読む人のことを考えよう

家族や友だち、だれに読んでほしいかな？　ワクワク、ドキドキ、どんな気持ちを伝えたい？　だれかにお話しするように書いてみよう。

さあ、レッツチャレンジ！

題名「
」

上手にできたら、「ストーリー学院」に送ってね！
きみのお話が本やアニメになるかも!?

ストーリー学院

株式会社わかさ生活

1998年創業。本社は京都府京都市。「若々しく健康的な生活を提供する」ことを目指し、サプリメントの研究開発・販売や健康に関する情報発信などを行う。「目のことで困っている人の役に立ちたい」という想いで開発した『ブルーベリーアイ』は、18年連続売上No.1。※2006年に登場したブルブルくんはインパクトのあるCMで話題となり、わかさ生活の企業キャラクターとして愛されている。

※「H・Bフーズマーケティング便覧」機能志向食品アイケアより引用㈱富士経済（2004年～2021年ブルーベリーアイ実績）

information ～お知らせ～

この本に登場した人やアイテムは、別の本にも登場しているよ。どんな物語か、ぜひチェックしてみてね！

「魔法のノート」と
「結月」が登場するよ！

『大人も知らない夢の見つけ方 女子高生と魔法のノート』

著：角谷ケンイチ
発行：ディスカヴァー・トゥエンティワン

【あらすじ】紫藤結月はダンスに夢中な高校2年生。将来、何をするかは決まっていないけれど、親から受験勉強に専念するように責め立てられている。そんなある日、ダンス部では３年生と1年生が対立して一触即発の危機！ 結月も巻き込まれて大変なことに。悩む結月の前に現れたのは……。夢の見つけ方・叶え方を教えてくれる感動の物語。

ここでもブルブルくんが大活躍！

『魔法のノートシリーズ 夢を叶えるイメージマップの創り方』

著：角谷建耀知
発行：ディスカヴァー・トゥエンティワン

【あらすじ】カレー研究会ひと夏の挑戦!! 都会の片隅にある星桜高校。進学校ではなく、スポーツ高でもない学校。そこには香坂 玖実が所属する「カレー研究会」がある。そんな玖実たち研究会が毎年恒例の“食”フェスタで《グランメゾン錦野》の若きシェフ、錦野 蘭と「カレー」対決をすることに。読み終えたあなたは、早速カレーが食べたくなる一冊。

ブルブルくんストーリーズ ②

ブルブルくんがいつもそばにいるよ

初版発行日　2023年10月25日 第1版 第1刷発行
制作・編集　株式会社わかさ生活
発行　株式会社わかさ生活 〒600-8008 京都市下京区四条烏丸長刀鉾町22三光ビル
TEL : 075-213-8311
https : //company.wakasa.jp/
撮影　いのうえ まさお
撮影協力　Chou-cho restaurant & garden（P4、P50、P53）
装丁・デザイン　オオエデザイン
発売　株式会社大垣書店 〒603-8148 京都市北区小山西花池町1-1
印刷・製本　図書印刷株式会社

ISBN 978-4-903954-68-4

●この本に関するご意見・ご感想をお寄せください。
［宛先］〒600-8088 京都府下京区四条烏丸長刀鉾22三光ビル3階 株式会社わかさ生活 宛
●造本には十分注意しておりますが、落丁・乱丁（本のページの抜け落ちや順序の間違い）の場合は
お取り換えいたします。小社「株式会社わかさ生活」宛にお送りください。送料は小社負担にてお取り換えいたします。